본질을 사는 인간

성서와 인간 6

본질을 사는 인간

송봉모 지음

바오로딸

성서와 인간 6

차 례

본질을 사는 인간

🌸 머리말

내가 뿌리는 씨앗은 믿음이요
밭 가는 쟁기는 지혜라
몸과 마음과 입에서
나날이 악한 행위를 제어하는 것은
김매는 것이다.
나의 수행 정진은 소를 모는 것이라
가다가 돌아섬이 없으며
행동하고 나서 슬퍼함이 없어
평안의 경지로 이끄는도다.
나는 이리 밭 갈고 저리 씨 뿌려
꿀같이 단 하늘의 과실을 거두리라.

한 여인이 꿈속에서 어느 상점에 들어갔는
데 놀랍게도 계산대 뒤에 하느님이 서 계신

것이었다. 여인은 깜짝 놀라 하느님께 물었
다. "아니, 하느님! 여기서 뭘 하고 계세
요?", "네가 원하는 것은 무엇이든지 다 팔
려고 그런다." 여인은 귀를 의심했지만 이왕
이면 자기가 바랄 수 있는 최고의 것을 청해
야겠다고 마음먹었다. "하느님, 저는 평화와
사랑, 행복과 지혜, 자유를 사고 싶습니다."
여인은 잠시 말을 멈추었다가 다시 이런 말
을 덧붙였다. "자유는 저뿐 아니라 모든 사
람들에게도 나누어 주시고요." 그러자 하느
님께서는 자애로운 미소를 지으면서 말씀하
셨다. "네가 뭔가를 잘못 생각한 것 같구나.
나는 열매를 팔지 않고 씨앗만 팔거든."

하느님이 씨앗만 판다는 것은 사실이다.
예수께서 들려주신 씨 뿌리는 사람의 비유를
생각해 보자. 하느님의 말씀을 상징하는 씨
앗이 길바닥에도 떨어지고, 돌밭에도 떨어지
고, 가시덤불 속에도 떨어지고, 옥토에도 떨
어졌다. 길바닥, 돌, 가시덤불, 옥토는 다
우리를 가리킨다. 우리가 어떠한 태도로 말

씀을 받아들이고 키우느냐에 따라 열매를 맺을 수도, 맺지 못할 수도 있다.

하느님께서는 우리에게 평화와 사랑, 행복과 지혜 그리고 자유라는 씨앗만을 파신다. 그 씨앗을 키워서 열매를 맺는 책임은 우리에게 달려 있다. 그런데 많은 신앙인들이 열매를 맺지 못하고 돌밭이나 가시덤불에 떨어진 씨앗처럼 살아간다. 우리는 주님의 말씀을 은혜로운 선물로 받아들이지만 곤란이나 시비가 생기면 즉시 말씀을 내던져 버린다. 예를 들어 성당에 간 사이에 집에 불이 났기 때문에, 또는 세례를 받자마자 하나밖에 없는 외아들이 병에 걸렸다고 냉담한다거나, 말씀을 듣고 좋아는 하지만 세상에 대한 근심 걱정에 온통 마음을 빼앗겨 말씀을 질식시켜 버린다.

왜 많은 이들이 신앙의 씨앗을 키워 나가지 못하는 걸까? 왜 열매 없는 신앙생활을 할까? 그 까닭은 신앙생활의 가장 기본이 되는 그리스도교와 신자 됨의 본질을 모르기 때문이다.

1

그리스도교의 본질을 사는 인간

내 심장을 두드리소서, 신이시여
날 데려가 가두소서.
당신이 날 사로잡지 않으신다면
결코 자유로울 수 없고
당신이 날 겁탈하지 않으신다면
결코 순수해질 수 없기 때문입니다.[1]

우리 종교는 감각적인 종교, 가슴 뜨거워
지는 감각적인 종교라는 말을 들어본 적이

---

1. 존 던의 신성 시편 14장.

있는가? '감각적'이란 말을 들으면 불경스럽다고 생각하거나 놀라는 분이 계실까 봐 성서 구절 하나를 들어보겠다. 엠마오로 가다가 부활하신 주님을 만난 두 제자의 고백이다. "길에서 그분이 우리에게 말씀하실 때나 성서를 설명해 주실 때에 우리가 얼마나 뜨거운 감동을 느꼈던가?"(루가 24,32) 엠마오로 가는 길에서 두 제자는 주님을 만나 뵙고 가슴 뜨거워짐을 체험하였다.

또 우리 종교가 체험의 종교, 하느님 체험과 성사(聖事) 체험의 종교라는 말을 들어본 적이 있는가? 우리 종교가 만남의 종교, 인격적 만남의 종교라는 말을 들어본 적이 있는가?

내가 '주님과의 인격적 만남'이란 말을 처음 들은 것은 예수회에 입회하던 해, 신앙생활한 지 20년이라는 세월이 지난 후였다. 그전에 첫영성체 교리나 주일학교 교리, 또 이런저런 신앙교육을 받았지만 주님과의 인격적 만남에 대해선 별로 들어본 기억이 없었

다. 아니 어쩌면 들었는데도 잊어버렸는지도
모르지만 어쨌든 귀에 못이 박히도록 들은
것은 주일 미사 빠지지 말고, 거짓말하지 말
고, 봉사활동 열심히 하라는 등의 말이었다.
예수회에 입회하여 「예수회 수도생활」 지침
서를 읽으면서 난생 처음으로 주님과의 인격
적 사랑이 신앙생활에서 가장 중요하다는 사
실을 알게 되었다.

우리는 예수 그리스도께 대한 인격적 사
랑으로 복음을 선포하고자 대망한다. 우리
는 그분께 대한 내적 지식으로 더욱더 그분
을 사랑하고 잘 따를 수 있기를 기원한다.
이냐시오 성인이 하셨듯이 우리 또한 그리
스도 예수, 곧 사람들에게 봉사하고 해방
시키기 위하여 보냄을 받으시고, 죽으시고
죽은 자들 가운데서 부활하신 하느님의 아
들을 체험으로 만나 뵙고자 노력한다. 이
사랑이야말로 우리의 활동과 생활의 가장
깊은 원천을 이룬다.[2]

우리가 인격체이신 주님을 사랑하고 체험
하고 만나 뵙는 것은 주님께서 먼저 우리를
사랑하셨기에 가능하다. 신앙은 주님으로부
터 오는 사랑의 선물이요. 신앙의 응답은 이
사랑에 응답하는 것이다. 그런데 우리가 주
님께 대한 인격적 사랑을 갈망하지 않는다면
그러한 사랑을 맺을 수 없다. 나무 덤불이
하느님으로 불타고 있어도 그것을 본 사람만
이 신발을 벗고, 그렇지 못한 사람들은 그
둘레에 앉아 무심히 산딸기를 따고 있다는
시가 있듯이[3] 우리 종교가 가슴 뜨거워지는
만남의 종교라는 사실을 모른다면 주님과 인
격적 사랑의 관계를 맺으려 애쓰지도, 갈망
하지도 않으리라.

　나는 예수회에 입회하면서 주님과의 인격
적 만남이 얼마나 중요한가를 알게 되었지만
정작 그 만남을 절실히 갈망하게 된 것은 그

---

2. 「예수회 수도생활」(서울 : 한국 예수회, 1977), 8-9.
3. 엘리자베스 E. 브라우닝의 시.

후로도 9년이 지나서였다. 신학생으로서 철학을 공부하던 시절, 나는 수도회의 허락을 받아 불교학을 공부할 기회가 있었다. 수도회는 종교간의 대화를 위해서 불교 공부를 허락했지만 주님과의 인격적인 만남을 깊이 체험하지 못했던 나는 나도 모르는 사이에 불교 세계에 푹 빠져버리고 말았다. 특별히 선종(禪宗)의 하나인 조동종과 그 선사인 도원(道元) 스님의 사상에 심취되어 로마로 신학 공부를 하러 떠날 때에도 조동종과 도원 스님의 책만 10여 권을 가지고 갔을 정도였다. 그러고는 자주 영적 독서(?) 삼아 그 책들을 읽었다. 이렇게 불교 사상에 쫓다 보니 예수님과의 인격적 만남은 물건너간 셈이 되었고, 구도적 관심이나 열정을 성서와 성교회 전통에서가 아니라 불교 세계에서 길어내게 되었다. 글을 쓰거나 강의를 하면서도 성서나 성인들의 말을 인용하는 대신 불경이나 선사들의 말을 인용했다. 한번은 가르멜 수녀님들에게 강의를 하게 되었는데 필자를 아끼는 한 수녀님은 강의를 듣고 나서 이런 말로 질책을 했다. "수사님, 성교회 안에 그렇게 성인들이 많은데 어떻게 불교 스님들 이야기만 하십니까? 그러려면 차라리 스님이 되시지 그러세요." 그러던 나에게 사제서품 일이 서서히 다가오고 있었다. 난 자문하지 않을 수 없었다. '신부가 되고 나서도 지금처럼 살 것인가? 신부로서 교우들에게 강론을 할 때에 지금처럼 불교 얘기나 할 것인가?' 도저히 그럴 수는 없었다. 그래서 나는 사제서품 기념 상본에 적어넣을 성서 구절로 "예수가 미쳤다는 소문을 듣고서 그의 친척들이 그를 붙잡으러 나갔다."(마르 3,21)라는 말씀을 택했다. 나도 예수에게 미쳐보고 싶어서였다. 사족이지만 서품미사를 주례하신 김수환 추기경님께서는 내 기념 상본을 보시고는 서품을 줄 수 없겠는데라고 농담을 하셨다. 당신께서 수많은 새 사제 서품 기념 상본을 보았지만 지금까지 예수님이 미쳤다는 성서 구절을 택한 사람은 없었다는 것이

다. 서품날 제대 앞에 엎드려 있는 동안 내
내 나는 예수께 미칠 수 있게 해 달라고 간
구하였다. 그후 나에게는 많은 변화가 생겼
다. 성서에 대한 사랑, 주님에 대한 사랑이
용솟음치게 된 것이다. 진심으로 하느님을
아빠, 아버지라고 부르게 된 것이다. 우리
인간 편에서 하느님 체험에 대한 간절한 갈
망이 없다면 주님도 우리에게 당신에 대한
내적 인식을 주실 수 없다.

   하인리히 뵐은 "교회에 절실히 필요한 신
학은 막달라 마리아 같은 정(情)의 신학"이라
고 말한다.[4] 정이라는 것, 사랑이라는 것은
까딱 잘못하면 감상주의로 빠질 수 있지만
가슴으로 인간의 진실되고 순수한 모습을 보
게 하는 것이기도 하다. 사실 주님께로 향한

---

4. 하인리히 뵐의 이 말은 R. 모서, 「행복하여라, 다정
   한 사람들」, 분도소책 34(왜관 : 분도출판사, 1986),
   278에서 재인용됨.

정은 단순한 감상주의가 아니다. "감상주의
는 주관성의 문제이다. 자기 자신의 감정을
본위로 삼아 자신으로부터 시작하여 자신으
로 끝나는 주체의 문제이다."[5] 하지만 주님을
향한 정은 인간이 자기 자신에서 나와 관계의
대상인 주님께 봉헌·투신하는 것을 뜻한다.
주님을 향한 정이 바로 신앙이다. 신앙이란
단지 무엇을 믿는 것이 아니라 주님께 자신
을 온전히 투신하면서 주님과 인격적 사랑으
로 만나는 것이다. "하느님께 대한 앎은 다
른 종류의 앎처럼 접촉과 통찰, 그리고 사랑
에서 우러나오는 반향이 있는 인간적인 바탕
이 필요한 것이다. 그래서 신앙고백은 사랑
고백이라고 할 수 있으며, 믿음의 요구는 사
랑의 부르심으로 알아들어야 하는 것이다."[6]

---

5. 레오나르도 보프, 「정 그리고 힘」(왜관 : 분도출판사,
   1987), 29.
6. 방효익, 「뜬구름 잡기 : 영성과 체험」(서울 : 가톨릭출
   판사, 1996), 46.

우리 종교는 본디 만남의 종교, 체험의 종교였다. 신앙의 조상인 아브라함을 비롯하여 모세·다윗·이사야·예레미야 등 구약의 인물들은 하나같이 하느님과 친밀한 만남을 가졌다. 그들은 친구와 이야기하듯이, 아버지와 자녀가 이야기하듯이, 남편과 아내가 이야기하듯이 하느님과 인격적인 사랑을 나누었다. 신약의 인물들도 마찬가지다. 막달라 마리아·베드로·바오로·마리아·마르타·하혈병에 걸렸던 여인·사마리아 여인·자캐오·실로암 못가의 중풍병자 등은 모두 예수 그리스도를 깊이 체험했던 이들이다.

이렇게 우리 종교는 감성을 바탕으로 한 체험의 종교였는데 세월이 흐르면서 이성을 바탕으로 한 교리 중심의 종교로 바뀌게 된 것이다. 신앙의 지성화와 신학의 조직화 작업이 이루어지면서 변질된 것이다. '신앙 없이도 신학을 할 수 있다.'는 말이 나올 정도로 이성 중심의 종교가 된 것이다. 얼마 전까지만 해도 신자가 될 자격이 교리 문답을

외우는 데 있었지 자비로우신 아버지 하느님
과 구세주이신 예수 그리스도와의 인격적인
만남이나 일치에 있지 않았다.

교리를 통해서 하느님과 인격적 만남을 이
룬다는 것은 쉽지 않다. "교리를 주입시키는
일은 불에 달군 쇠붙이로 소에다 낙인(烙印)
을 찍는 것과 같다. 그런 낙인은 소가죽에다
표지를 남길 뿐 소의 내면에까지 닿지는 못
한다."[7] 그리스도인이 된다는 것은 그리스도
를 깊이 알고, 열렬히 사랑하고, 충실히 따
르기 위해서이다. 이러한 것은 그리스도와의
인격적 사랑을 통해서만 가능하다. 성령 기
도회나 피정 등을 갔다 온 신자들에게서 비
로소 주님을 만났다거나 새롭게 거듭났다고
하는 이야기를 자주 들었을 것이다. 세례를
받은 지는 오래 되었지만 이제야 회심하게
되었다는 것이다.

---

7. 댄 몽고메리, 「나는 나를 조각한다」(서울 : 바오로딸,
1998), 174.

신앙의 지성화와 신학의 조직화 작업이 낳
은 또 하나의 영향은 신앙 체험이 교회 안에
서 있는 그대로 표현되기보다는 이성적으로
절제되면서 엄숙하게 표현되어야 한다고 여
기는 것이다. 만일 어떤 사람이 자신의 신앙
체험을 감성적으로 표현한다면 듣는 사람들
은 감동하기보다는 왠지 불안해하고 거부감을
느끼게 된다.[8] 실상 하느님을 만나는 것은 마
음이지 이성이 아닌데도 이성적인 고백을 더
중시하는 것이다. 해방신학자 보프(Leonardo
Boff)는 다음과 같이 말한다.

　기초적 체험은 느낌이다. '나는 생각한
다. 고로 나는 존재한다(Cogito, ergo sum).'
가 아니라 '나는 느낀다. 고로 나는 존재
한다(Sentio, ergo sum).'이다. 로고스(이
성)가 아니라 파토스(감정), 정감적으로

---

8. 수에넨즈, 「성령은 나의 희망」(왜관 : 분도출판사,
　1976), 317.

영향을 받고 영향을 줄 수 있는 능력, 곧
정감성이다. 이것이 바로 인간의 구체적이
고 일차적인 삶의 장(場)이다. 실존은 결코
순수한 실존이 아니라 느낌, 곧 기쁨이나
슬픔, 희망이나 불안·힘·회개·선 등에
의해 정감적으로 영향을 받는 실존이다.[9]

수학자이며 철학자였던 파스칼은 가슴 깊
이 하느님 체험을 하고 나서 하느님을 비롯
한 실재를 인식할 수 있는 것은 마음이라고
단언했다. 다음은 파스칼의 하느님 체험에
대한 고백이다.

은총의 해, 1654년 11월 23일, 월요일…
저녁 아홉 시 반부터 자정 후 반 시간쯤까
지 불, 아브라함의 하느님, 철학자나 유식
한 사람의 하느님이 아니라 이사악의 하느

---

9. 레오나르도 보프, 위의 책, 22 - 23.

님, 야곱의 하느님, 확신·지각·기쁨·평화·예수 그리스도의 하느님….

하인리히 뷜이 주장한 '정의 신학'은 그동안 신앙의 지성화와 신학의 조직화를 통해서 교리 중심으로 흘러왔던 교회가 다시금 영(靈)의 종교로 되돌아가서 주님과 인격적 사랑을 나누어야 함을 강조하기 위한 시도라고 볼 수 있다. 신앙의 궁극적 대상인 하느님 아버지와 구세주 그리스도를 철학적 분석이나 교의(教義)로써가 아니라 사랑을 통해서 인격적으로 만나게 하려는 것이다.

리오베 주교님은 양심수들을 위한 변론과 핵실험 반대 등 국제적인 문제는 물론 교회 내 문제점 해결을 위해서도 뛰어다녔던 프랑스 주교님이시다. 그분은 태중 교우로서 어려서부터 가톨릭 교육을 받고 신학교에 들어가 신부가 되신 분이다. 신부가 된 지 10년이 되던 해 이냐시오의 영신수련을 하게 되었는데 그때 중요한 신앙 체험을 할 수 있었다. 다음은 그가 직접 고백한 체험 이야기다.

　　내 생애에 큰 충격을 느낀 것은 그때였
습니다. 1945년, 내가 34세 되던 해, 지금
도 96세의 노인으로 생존해 계시는 예수회
모니에 신부님이 리옹 근처의 샤틀라르에
서 사제들을 위해 한 달간 피정 강론을 해
주셨습니다. 그 신부님은 예수 그리스도에
대해서 말씀해 주셨습니다. 예수 그리스도
께서는 우리와 똑같이 사시기 위해서 오신
분이며 우리의 형제라는 사실과 우리는 그
분께 인생을 '걸어야' 한다는 것 등을 강
조해서 말씀하셨습니다. 그리고 그리스도
교란 율법의 종교가 아니고 사랑의 종교임
을 역설하셨습니다. 그 순간 나는 나를 묶
고 있던 일체의 속박으로부터 '풀려남'을
느꼈습니다. 그리고 말로 표현할 수 없는
기쁨에 휩싸였습니다. 나는 모니에 신부님
의 강론 말씀을 듣고 방에 들어가서 뿌듯
하고 행복한 마음을 가누지 못하여 말 그

대로 용약하던 일이 엊그제같이 느껴집니
다. 제가 그리스도인이 된 것은 바로 그때
였다고 생각합니다. 그때 비로소 나는 그
리스도교 신앙이란 어떤 '분', 즉 예수 그
리스도이심을 깨달았던 것입니다.[10]

어려서부터 신자였고 신부 된 지 10년이나
된 사제가 "내가 그리스도인이 된 것은 바로
그때였다."고 고백하고 있는 것이다. 그럼
그 전에는 그리스도인이 아니었단 말인가?
물론 그렇지 않다. 어쩌면 예수의 이름으로
세례를 받고 이름만 걸어놓은 예수쟁이였을
것이다. 리오베 주교님의 고백을 계속해서
들어보자.

　　나는 구약시대를 살았던 것입니다. 아

---

10. 리오베 주교님의 이 고백은 이병호, 「신앙인의 사
　　색」(서울 : 한국천주교 중앙협의회, 1988), 240 -
　　241에서 재인용함.

니, 어떤 면에서는 한 걸음 더 물러나 윤
리적 감각만을 가지고 일종의 스토아 철학
적 종교 속에서 살았다고 해야 할 것 같습
니다. 복음 정신은 나를 뚫고 들어오지 못
했던 것입니다. …물론 내가 그 전까지 받
았던 교육 속에도 쓸 만한 요소들이 없었
던 것은 아닙니다. 마리아께 대한 신심,
기도와 성체성사에 대한 신심 등이 그런
것들이지요. 그러나 거기에는 알맹이가 없
었습니다. 사랑이 결핍되었던 것이지요.
하느님은 사랑이십니다.[11]

얼마나 많은 이들이 공허하고 무기력한 신
앙생활을 하다가 은총으로 주님을 체험하고
"아, 당신은 정말 제게 뜻깊은 분이시군요."
라고 말하는가. 얼마나 많은 이들이 구원에
대한 확신 없이 무기력하게 살아가다가 가슴

---

11. 이병호, 위의 책, 240.

뜨거운 체험을 하고 리오베 주교님처럼 "내가 그리스도인이 된 것은 바로 그때였습니다."라고 고백하는가. "영적 체험은 하느님이 주도하는 만남에서 형성되는 파장의 충격으로 인해 응집된 신앙생활이 이루어지는 가운데 충만한 인간이 되는 체험이다."[12]

이제 우리는 불교와 비교를 해봄으로써 왜 우리 종교가 인격적 만남의 종교인지 보도록 하자. 그리스도교와 불교 안에서 가장 깊게 종교 체험을 한 이들의 고백을 들으면서 왜 우리 종교가 만남을 통해서 가슴 뜨거워지는 감각적인 종교인지 보도록 하자. 먼저 불교의 가장 깊은 종교 체험인 깨달음을 얻고 부른 스님들의 오도송(悟道頌)을 보자.

> 30년 동안이나 검(劍)을 찾던 나그네
> 몇 차례나 낙엽 지고 싹이 돋았는가.

---

12. 이병호, 위의 책, 72.

복숭아꽃 한 번 본 뒤로는
지금까지 다시는 의심치 않네.[13]

콧구멍이 없다는 사람의 말을
갑자기 듣고
삼천세계가 바로 내 집임을 별안간
깨쳤는데
유월의 연암산 밑의 길이여
들사람은 일이 없어 태평가를 부르네.[14]

두 개의 오도송에 대한 느낌이 앞의 리오베 주교님의 체험과는 완전히 다르다는 것을 느낄 것이다. 이 두 개의 오도송은 무엇을 말하고 있는가? 우리 같은 중생들, 매일 먹고 사느라, 자식들 치다꺼리 하느라 심신이 피곤한 중생들에게는 이해하기가 참으로 어려운 말씀이다. 얼마 전 돌아가신 성철 스님

---

13. 여운 스님의 오도송.
14. 경허 스님의 오도송.

께서는 "산은 산이요, 물은 물이로다."라는
법어(法語)를 설하셨다. 우리 같은 범부(凡
夫)들은 이 말을 듣고 "그야 산은 산이고, 물
은 물이지. 싱겁기는." 하고 대수롭지 않게
넘길 수도 있지만 이 법어가 깊은 진리를 담
고 있는 것은 분명하다.

이번에는 그리스도교에서 가장 심원한 깨
달음을 얻은 사람, 즉 하느님을 깊이 체험한
사람이 표현한 글을 보자.

> 그리워라
> 뜨거운 님의 입술
> 포도주보다 달콤한 님의 사랑.
> …
> 너울 뒤의 그대 눈동자
> 비둘기같이 아른거리고
> …
> 입술은 새빨간 실오리
> 입은 예쁘기만 하고
> 너울 뒤에 비치는 볼은

쪼개놓은 석류 같으며

...

그대의 젖가슴은
새끼사슴 한 쌍
나리 꽃밭에서 풀을 뜯는
쌍둥이 노루 같아라.

...

나의 신부여!
그대 입술에선 꿀이 흐르고
혓바닥 밑에는
꿀과 젖이 괴었구나.

...

사랑은 죽음처럼 강한 것

...

어떤 불길이 그보다 거세리요?
바닷물로도 끌 수 없고
굽이치는 물살도 쓸어갈 수 없는 것.

이 글을 읽은 느낌이 어떤가? 도대체 하느
님 사랑에 대한 고백인지 연애시인지 알 수

가 없다. 대범할 정도로 솔직하고, 상당히 노골적인 사랑 표현이 아닐 수 없다. 이 글은 성교회가 거룩한 경전(經典)으로 인정하였고 성서 안에 버젓이 들어 있는 '솔로몬의 노래(The Songs of Solomon)'에서 발췌한 구절이다. 우리말 성서는 '솔로몬의 노래'란 제목 대신 아가서(雅歌書)라고 했다. 아가(雅歌)라는 말은 말 그대로 우아하고 아름다운 '사랑의 노래'이다.

그렇다면 하느님을 깊이 체험한 이들은 어떻게 표현하고 있는가? 아가서와 별반 다를 바 없이 에로틱(erotic)하다. 아빌라의 데레사 성녀는 "천사가 긴 황금 화살을 내 심장에 꽂더니 오장육부에까지 밀어넣었다. 그가 화살을 뺄 때에는 마치 오장육부가 쥐어뜯기는 것 같았고, 그때마다 나는 하느님 사랑에 온전히 불타올랐다." 남자는 여자보다 더 표현이 솔직하다. 한평생을 절제하며 엄격하게 살았던 십자가의 성 요한은 하느님 체험을 다음과 같이 표현하고 있다. "당신 아닌 누

구도 풀어줄 수 없는, 사무친 내 한을 당신
이 꺼주세요. 당신은 빛이시니 당신만을 위
하여 내 그 빛을 간직하지요. …꽃다워라,
우리 신방이여. 자주빛 빛깔 속에 펼쳐져 있
고 평화로움으로 꾸며져 있어라." 하느님과
일치하고 싶어하는 깊은 열망이 절절히 다
가온다. 십자가의 성 요한의 글을 하나 더
보자.

깊은 밤
사랑의 갈망에 올라
아, 순수한 신의 이 은총이여
나는 은밀히 밖으로 나간다네
온 집안은 고요히 잠들었는데.
…
오직 그이만을 위해 간직해 온
꽃으로 장식한 내 가슴
거기에 그이가 잠들어 있네.
나는 그이를 애무하고
히말라야 삼목 숲에서

산들바람 불어오는데.

조그마한 탑에서 산들바람 불어올 때
그이 머리카락에 가르마 탈 때
부드러운 손으로 그이는
내 목에 상처를 내었네.
나의 모든 감각을 마비시켰네.

나를 내맡긴 채 나를 잊고
연인에게 얼굴을 파묻고
모든 것이 정지된 순간
나는 나를 빠져 나왔네.
걱정거릴랑 모두
나리꽃 속에 파묻어 두고.

아가서나 대 데레사, 십자가의 성 요한은
하느님과 일치된 사랑을 표현한 것이다. 하
느님과의 일치는 일상적인 경험을 넘어서는
것이기에 인간의 언어로 표현하기에는 한계
가 있다. 그래서 인간의 일치 체험 중에서

가장 강렬한 체험인 남녀 사랑의 체험을 빌려서 표현한 것이다. 사랑하는 남녀가 성적으로 깊이 결합되어 있을 때 서로를 구분짓던 너와 나라는 경계는 사라지고 하나가 될 수 있는 것처럼 사랑 자체이신 하느님과 그 사랑을 갈구하는 인간과의 인격적인 만남은 이 둘을 분리될 수 없는 하나로 만든다.

불교와 그리스도교의 차이를 한마디로 어떻게 말할 수 있을까? 불교는 마음을 차분히 가라앉혀 줄 수는 있으나 가슴 따스한 체험을 주지 못한다. 많은 이들이 불교 신자가 아니면서도 참선을 하고 명상을 할 수 있는 것은 그러한 수행이 마음의 평화를 주기 때문이다. 하지만 우리가 믿는 종교는 불교와 달리 위격적인 만남이기 때문에 마음 차분함이 아니라 마음 벅참을 선사해 준다. 그러기에 참으로 그리운 주님을 만나서 그 사랑 안에 머물게 될 때 그 만남의 표현은 지극히 정감적일 수밖에 없다. 불교의 궁극적 목표

가 깨달음이라면, 그리스도교의 궁극 목표는
하느님을 '아빠, 아버지'로 만나고, 예수님
을 구세주로 만나는 것이다.

요한복음에는 시종일관 하느님을 찾는 인
간의 모습을 볼 수 있다. 세례자 요한을 따
라다녔던 두 제자가 예수님 뒤를 따라가자
예수께서는 뒤돌아보시며 "당신들은 무엇을
찾고 있소?"(ti zēteite, 요한 1,38) 하고 물으
신다. 이어서 베드로가 안드레아의 이야기를
전해 듣고(요한 1,42), 나타나엘이 필립보의
이야기를 전해 듣고 예수님을 찾아 나선다
(요한 1,45). 요한복음의 또 다른 곳에서는
니고데모가 밤에 영생(永生)을 찾아서 예수님
께 오고(요한 3,1) 또 많은 사람들이 먹을 것
을 찾아 예수께 밀려든다(요한 6,24-26). 모
두가 무엇인가를 찾아 예수께 오는 것이다.
그런데 요한복음 마지막에 이르게 되면 찾는
동기가 달라진다. 예수님 시신(屍身)이 없어
져서 서럽게 울고 있던 막달라 마리아에게
예수께서 나타나 "누구를 찾고 있습니까?"

(tina zēteis, 요한 20,15) 하고 묻는다. 요한복음은 우리 종교의 궁극적인 목표가 '무엇을 찾아서'가 아니라 '누구를 찾아서'임을, 예수 그리스도를 찾고 인격적으로 만나는 것임을 알려준다.

베드로를 비롯한 제자들은 이스라엘을 독립시켜 줄 정치적 메시아를 찾아서, 니고데모는 영생을 찾아서, 군중은 먹을 것을 찾아서 예수님께 왔다. 찾는 것은 제각기 달랐지만 분명한 것은 무엇인가를 찾아서 왔다는 것이다. 우리가 교회를 찾게 된 것도 마찬가지이다. 마음의 평화를 찾아서, 하느님의 축복을 찾아서, 병고에서 치유되기 위해서, 하늘 나라를 찾아서…. 하지만 우리가 정말 찾아 나서야 할 것은 '무엇'이 아니라 '누구'이며, 그 누구는 바로 주님이시다.

주님께서 우리에게 무엇인가를 주신다면 그것은 사랑의 징표일 뿐이다. 그분이 우리에게 건강을 주시고, 자녀들을 돌보아 주시고, 일용할 양식을 마련해 주시는 것은 우리

를 사랑하신다는 징표일 뿐이다. 이 사랑의
징표 앞에서 우리가 바라보아야 할 것은 선
물이 아니라 선물을 주신 주님이어야 한다.
다음과 같은 옛 중국 시가 있다. "님이 내게
과일을 던지시길래 나는 하얀 옥으로 갚았
지. 갚은 게 아니라 깊이 사랑하고저. 님이
복숭아를 던지시길래 하얀 옥으로 갚았지.
갚은 게 아니라 길이 사랑하고저. 님이 내게
오얏을 던지시길래 검은 옥으로 갚았지. 갚
은 게 아니라 길이 사랑하고저." 우리는 예
수님을 사랑해야지 무엇을 주시기 때문에 사
랑해서는 안 된다.

　하느님과의 만남을 갈구하는 것은 인간의
본능적 욕구이다. 본능적 욕구라고 하면 우
리는 통상 성욕이나 식욕과 같은 자연적인
본능, 곧 생리적인 본능만을 생각하기 쉽다.
심리학적 지식이 일반 대중에게 보급되기 시
작하면서 우리에게는 생리적 욕구 외에도 안
전에 대한 욕구, 소속감과 사랑에 대한 욕
구, 성공하고 인정받고 싶어하는 성취 욕구,

새로운 것을 배우고 즐거움을 누리려는 재미
욕구 등이 있음을 알게 되었다. 그런데 이러
한 본능적 욕구 외에도 우리에게는 종교적인
본능, 영적인 본능도 있다. 곧 신비에 대한
갈망, 하느님과의 만남을 갈망하는 것이 그
것이다. 이 영적 본능은 생리적 본능이나 다
른 본능들보다 우리 삶 안에서 더 중요한 기
능을 한다. 우리는 빵이나 집이 없이도 살
수 있고, 사랑과 인정이 없이도 살 수 있지
만 신비가 없이는 살 수 없다. 신비의 상실
은 곧 우리 존재의 뿌리인 하느님을 상실하
는 것이기 때문이다. 신비에 대한 갈망이 충
족될 때에 우리는 뜨거운 감동을 맛보게 되
고 살맛을 누리게 되고, 새로운 인간으로 태
어나게 된다. 과거는 잊혀지고 대신 질적으
로 전혀 다른 새로운 인생이 시작된다. 이것
이 종교 용어로 '거듭난다'는 것이다. 한마
디로 삶이 바뀌고 사람이 바뀌는 것은 영적
본능이 충족됨으로써 일어나는 일이다. 어떤
사람이 허구한 날 남이나 못살게 굴면서 살

아가다가 어느날 갑자기 선한 사람으로 변했
다면, 그것은 그 사람이 갖고 있던 생리적
본능이나 성취 욕구의 본능 등 어떤 인간적
본능이 채워져서 그렇게 된 것이라기보다 하
느님을 만나면서 영적 본능이 채워졌기 때문
에 가능한 일이다.

　인간이 할 수 있는 모든 신성한 일들 가운
데서 가장 신성한 일은 신(神)과의 합일이다.
그것은 곧 주님과 얼굴을 맞대고 보는 것이
다. 우리의 인생은 지나가는 것이다. 그리운
사람에 대한 추억도, 달콤한 추억도, 슬픈
이별의 추억도 다 지나간다. 그러나 지나가
지 않는 추억이 있다면 그것은 영혼과 영혼
의 만남이다. 영혼과 영혼의 만남은 결코 사
라지지 않는다. 아가서가 이야기하듯이 우리
는 그분의 신부요, 그분은 우리의 신랑이다.
신랑은 신부의 것이요, 신부는 신랑의 것이
다. 신랑과 신부가 서로에게서 원하는 것은
사랑 이외에 다른 것이 있을 수가 없다.

그리움 없이 어찌 이 세계에
한 송이 꽃을 피울 수 있으랴.
그리움 없이 어찌 이 세계에
한 송이 꽃을 지울 수 있으랴.
그리움 없이 그리움 없이
어찌 내게서
찾아 나설 분 있겠는가.[15]

15. 고은의 「화엄경」에서.

2
신자의 본질을 사는 인간

　신자들에게 그리스도인이란 어떤 사람인가 말해보라고 하면 대개 행위 차원에서 말한다. 예를 들면 "그리스도인은 이웃 사랑을 실천하는 사람이다."라는 식이다. 특히 천주교 신자들은 봉사활동을 강조한다. 갓 입교한 신자들은 대개 기도생활이나 성서공부를 하도록 권고받기보다는 봉사단체에 가입해서 활동하기를 권고받는다. 주일학교 교사, 성가대, 노동청년회, 빈첸시오회 등 갖가지 단체에 가입해서 활동하도록 권유받지만 주님과의 친교를 위해서 기도해야 된다거나 주님의 뜻을 알기 위해서 성서를 공부해야 한다는 이야기는 별로 듣지 못한다.

나는 수도회에서 성소자 담당으로 있기 때문에 수도생활을 지망하는 젊은이들을 자주 만나게 된다. 그들에게 왜 수도생활을 하려고 하는가, 왜 사제가 되려고 하는가 물어보면 봉사를 하고 싶어서라고 하는 사람이 대부분이다. 사회 정의를 위해서 일하고 싶다느니, 젊은이들을 위해서 일하고 싶다느니, 가난한 사람들을 위해서 살고 싶다느니 … 등. 하느님이나 예수님에 대한 언급은 없다. 성소(聖召)는 문자 그대로 '거룩한 부르심'이다. 주님께서 부르시는 것이건만 주님에 대한 언급은 없고 봉사를 하고 싶어서란다.

물론 이웃을 위한 봉사 없이 그리스도인이 된다는 것은 불가능하다. 하지만 이웃 사랑만으로 그리스도인이 되는 것은 아니다. 만약 그렇다면 타종교와 무엇이 다르겠는가. 유가(儒家)에서도 그리스도교의 사랑에 해당되는 인(仁)을 강조하고 있고, 불가(佛家)에서도 사랑에 상응하는 자비(慈悲)를 강조하고 있지 않은가.

그리스도인에 대한 정의는 행위 차원에서
보다는 인격적 관계 차원에서 말해야 한다.
한 사람이 무엇을 행위하고 있는지는 그가
맺고 있는 관계를 통하여 결정되기 때문이
다. 그렇다면 그리스도인은 누구인가? 바오
로 사도는 자신을 소개할 때마다 항상 '예수
그리스도의 사도로 부르심을 받은 나 바오
로'라고 소개한다.[16] 그리스도인은 그리스도
의 사도, 곧 그리스도의 제자이다. 그리스도
의 제자란 행위에 기초한 것이 아니라 인격
적 관계에 기초한 것이다. 그리스도인은 예
수 그리스도의 제자이다. 나를 구원하기 위
하여 십자가에 돌아가신 예수 그리스도가 주
님이심을 고백하고, 자신의 온 생애를 주님
께 맡기고 제자가 되어 따라가는 자이다.

마태오복음 마지막에 보면 예수께서 구원

---

16. 1고린 1,1 ; 2고린 1,1 ; 에페 1,1 ; 골로 1,1 ; 참
조 : 로마 1,1 ; 갈라 1,1.

사업을 다 마친 뒤 하늘로 오르시기 전 열두 제자들에게 이렇게 명령하신다. "나는 하늘 과 땅의 모든 권한을 받았다. 그러므로 너희 는 가서 이 세상 모든 사람들을 내 제자로 삼아 아버지와 아들과 성령의 이름으로 그들 에게 세례를 베풀라…." 모든 사람을 당신 의 제자로 삼으라고 명령하셨기에 열두 사도 를 비롯한 초대교회 신자들은 목숨을 바치면 서까지 세상에 복음을 전하였다. 그 결과 지 금 우리도 주님의 제자가 되어 살아가고 있 는 것이다.

제자 직분의 두 가지 본질

그리스도인의 본질은 곧 제자 직분의 본질 이다. 왜 주님께서 우리를 제자로 부르셨는 지 알게 되면 그리스도인으로 산다는 것이 무엇인지를 알게 된다. 구체적으로 제자가 된다는 것이 무엇인지, 왜 주님께서 우리를 불러주셨는지 분명하게 알려주는 성서 말씀이 있다.

> 예수께서는 열둘을 뽑아 사도(apostoloi,
> 파견받은 자)로 삼으시고 당신 곁에 있게
> 하셨다. 이것은 그들을 보내어 말씀을 전
> 하게 하시고 마귀를 쫓아내는 권한을 주시
> 려는 것이었다.(마르 3,14-15)

주님께서 제자들을 부르신 것은 두 가지
이유에서이다. 첫째는 주님과 함께 있게 하
기 위해서이고, 두 번째는 주님께서 제자들
을 파견하여 복음을 전하고 봉사활동을 하게
하기 위해서이다.

'주님 곁에 (함께) 있는 자'는 제자를 가리
키는 또 다른 말이다. 공관 복음서는 제자라
는 말보다 '주님과 함께 있는 자'라는 말을
자주 쓴다. 베드로는 예수께서 대사제 가야
파의 집에 끌려가 재판을 받는 동안 세 차례
나 배반한다. 하녀가 베드로에게 던지는 질
문에 주목할 필요가 있다. "당신은 저 사람

의 제자이지요?"라고 물어본 것이 아니라 "당신도 저 사람과 함께 다니던 사람이군 요."라고 묻는다(마르 14,67). 또 군대라는 마귀에 들렸던 사람이 제정신이 들고 나서 "예수님과 함께" 있게 해 달라고 청한다(마르 5,18). 그것은 다른 말로 하면 예수님의 제자 가 되게 해 달라는 말이다.

이렇게 '주님과 함께 있는 자'는 제자직의 첫번째 정의이다. 한편 요한복음 저자는 제 자를 '주님과 함께 머무는 자'로 표현한다. 요한복음에서 '머물다'란 동사는 제자직의 본질을 가리키는 중요한 단어이다. 예수님의 첫 제자 된 두 사람이 이렇게 묻는다. "선 생님, 어디 머물고 계십니까?"(요한 1,38) 사 마리아 사람들은 예수께서 그리스도임을 믿 고 자기 동네에 머물기를 청한다(요한 4,40). 예수님은 제자들에게 참된 제자가 되기 위해 서는 당신 말씀 안에 머물러 있어야 한다고 하신다(요한 8,31). 제자들이 예수님과 함께 머문다는 것은 예수님과 항구하게 인격적 관계를 맺는다는 것이다.

너희는 나를 떠나지 말라. 나도 너희를
떠나지 않겠다. 포도나무에 붙어 있지 않
은 가지가 스스로 열매를 맺을 수 없는 것
처럼 너희도 나에게 붙어 있지 않으면 열
매를 맺지 못할 것이다. 나는 포도나무요
너희는 가지다. 누구든지 나에게 떠나지
않고 내가 그와 함께 있으면 그는 많은 열
매를 맺는다. 나를 떠나서는 너희가 아무
것도 할 수 없다. 나를 떠난 사람은 잘려
나간 가지처럼 밖에 버려져 말라버린다.
그러면 사람들이 이런 가지를 모아다가 불
에 던져 태워버린다. 너희가 나를 떠나지
않고 또 내 말을 간직해 둔다면 무슨 소원
이든지 구하는 대로 다 이루어질 것이다.
너희가 많은 열매를 맺고 참으로 나의 제
자가 되면 내 아버지께서 영광을 받으실
것이다. (요한 15,4-8)

이렇게 공관 복음에서든(마르코), 요한복음에서든 '예수와 함께 있는 자' 또는 '예수 안에 머무는 자'란 예수님의 제자를 지칭하는 표현이요, 제자직의 첫번째 본질을 드러내는 표현이다.

제자들이 예수 그리스도와 함께 있다는 것은 단순히 마음만으로 함께 있는 내적 일치만을 가리키지 않는다. 함께 있다는 것은 육체적으로도 공간적으로도 함께 있는 것을 의미한다. 어디에서 무엇을 하든 예수님과 함께하는 구체적 자리, 예수님 사랑 안에 머물러 있는 구체적 시간을 마련하는 것이다. 주님과 함께하는 소명은 내적 침묵과 고독, 명상과 기도를 통해서 이루어진다.

두 번째로 주님께서 우리를 제자로 불러주신 것은 우리를 파견하여 복음을 전하고 봉사활동을 하게 하기 위해서이다. 앞서 제자직의 첫번째 본질을 나타내는 문장의 주어는 "그들"이었다("그들이 당신과 함께 있기 위해서"). 그런데 두 번째 문장의 주어는 예수님이다("당신이 그들을 파견하여 복음을 선포하게 하며 귀신들을 쫓아내기 위하여 … "). 문장들을 매끄럽게 연결시키려면 주어를 동일하게 사용하면서 평행구문으로 나가는 것이 좋다. 예를 들면 "그들이 당신과 함께 있기 위해서, 그들이 복음을 선포하며 귀신들을 쫓아내기 위해서"라는 식이다. 아니면 예수님이 주어가 되어서 "당신이 그들과 함께 있기 위해서, 당신이 그들을 보내어 복음을 선포하며 귀신들을 쫓아내기 위해서"라는 식이다.

하지만 성령의 감도를 받아서 쓰여진 성서는, 첫째 문장에서는 불림받은 제자들을 주어로 삼고, 둘째 문장에서는 예수님을 주어로 삼고 있다. 여기에는 중요한 가르침이 있다. 먼저 첫째 문장 "그들이 당신과 함께 있기 위해서"를 보자. 부르심은 주님으로부터 오지만 주님과 함께 있거나 있지 않거나는 우리에게 달려 있지 주님에게 달려 있는 것

이 아니다. 주님이 아무리 부르셔도 우리가
원하지 않는다면 주님 옆에 있지 않아도 된
다. 또 주님과 함께 있기로 했다가도 마음이
바뀌면 주님과 함께 있지 않을 수 있다. 이
른바 냉담자가 될 수 있는 것이다.[17]

어떻게 이런 일이 가능한가? 주님께서 우
리 인간을 창조하셨지만 우리의 자유까지 좌
지우지하는 분이 아니시기 때문이다. 주님은
우리가 자발적으로 동의하여 결단을 내리고
행위하기를 원하신다. 우리가 완전한 자유
의지로 당신 부르심에 응답하기를 원하신다.
이런 맥락에서 보면 제자직의 첫번째 본질,
즉 '주님과 함께 있음'은 인간이 주어이다.

우리가 예수님과 함께 있어야만 그분의 파
견 명령을 알아들을 수 있다. 예수님과 함께
있지 않다면 언제 주님이 우리를 파견하는지

---

17. 오늘날 냉담자란 말 대신에 '쉬고 있는 사람'이란
    표현을 쓰는데, 또 다른 표현은 '개종자'이다. 하느
    님을 향한 개종이 아니라 하느님을 등지는 개종, 곧
    세상을 향한 개종인 셈이다.

알 수 없다.[18] 이런 의미에서 제자직의 본질
을 나타내는 둘째 문장, "당신이 그들을 파
견하여 복음을 선포하게 하며…"에서는 주
어가 예수 그리스도로 바뀐다. 예수님은 파
견하는 자요, 우리는 파견되는 자이다.

예수께서 우리를 제자로 부르시고 파견하
신다. 우리가 오고 가고 하는 것은 우리 마
음에 따라서 이루어지는 것이 아니라 우리를
파견하시는 분에 의해서이다. 이 파견은 사
제들, 수도자들, 선교사들만 가리키는 것이
아니다. 모든 그리스도인들이 파견받기 위해
서 예수님께 불림받았다. 그러니 그리스도인
이라면 누구나 다 주님으로부터 파견받은 자

---

18. 파견하다란 그리스어 동사 apostellein은 현재시제로
    쓰여졌다. 그리스어에서 현재시제는 반복되거나 계
    속되는 행위를 가리킨다. 이는 예수님이 열두 제자
    들을 파견하신 2000년 전부터 오늘날에 이르기까지
    계속해서 제자들을 파견하고 계심을 의미한다. 그러
    니 주님과 함께 있는 자만이 주님으로부터 파견될
    수 있다.

이다.[19] 주님으로부터 파견받았기에 사도(使徒)이다. 사도는 그리스어로 apostolos로서 '파견받은 자'라는 뜻이다. 그리스도인은 직접 하느님 나라 건설에 참여하든(복음 전파와 봉사활동) 간접적으로 참여하든(자녀 양육과 생업) 제자 직분의 본질을 살아가는 자들이다. 주님과 함께 있으면서, 주님으로부터 파견받으면서 하느님 나라를 건설하는 자들이다.

---

19. 우리가 교회 안에서 어떤 소임을 받았다면, 그 소임의 성격에 상관없이 다 주님으로부터 온 것이다. 구역 반장이든, 레지오 단장이든, 총회장이든 그 임무는 모두 주님으로부터 온 것이다. 외형적으로는 본당 신부나 다른 사람을 통해서 주어진 것 같지만 실제로는 하느님 나라 건설을 위해서 주님께서 맡기신 것이다.

3
함께 있음과 파견받아 활동함

두 가지 제자 직분, 곧 '주님과 함께 있음'
과 '주님으로부터 파견받아 활동함'은 서로
밀접하게 연결되어 있다. 그런데 첫째 직분
이 언제나 둘째 직분보다 우선되어야 한다.
아무리 둘째 직분이 중요하더라도 첫째 직분
보다 우선되어서는 안 된다. '함께 있음'에
서 파견이 오기 때문이다. 주님과 일치가 이
루어져야 주님으로부터 봉사활동에 필요한
힘과 권위를 받아서 나아갈 수 있다. 주님과
일치가 없는 파견은 제대로 된 파견이 아니
며 파견이라고도 할 수 없다. 그러한 파견은
스스로 파견된 것에 불과하다.

이런 생각을 해볼 수 있겠다. 수녀들이 공동기도를 하고 있는데 누가 불쑥 찾아와서 도움을 청한다면, 기도를 그만두고 그를 도와주는 것이 옳은 것인가, 그렇지 않은가? 또 본당 신부가 주일 미사 강론을 준비하려고 묵상하고 있는데 누가 와서 불쑥 상담을 청한다면, 강론 준비하던 것을 그만두고 그 사람을 만나는 것이 올바른 태도인가 아닌가?

미국에서 활동하고 있는 사목자 고든 맥도날드(Gordon MacDonald)의 경험담이다.[20] 한 번은 그가 주일 강론을 준비하고 있는데 전화벨이 울렸다. 전화를 받자 힘없는 여자의 목소리가 들려왔다. "지금 급히 상담을 하고 싶은데요." 그래서 맥도날드는 먼저 이름과 무엇을 하는 사람인지 물어보았다. 젊은 시절의 맥도날드였다면 상대가 누구인지 확인

---

20. 고든 맥도날드, 「내면세계의 질서와 영적 성장」(서울 : 한국기독학생회, 1990), 97 - 98.

하지도 않고 즉시 만나주었을 것이다. 옛날에는 그도 기도를 하고 있었거나 모임을 하고 있었거나 상관하지 않고, 자기 도움이 필요하다면 이유 불문하고 즉시 만나주었다. 그런데 이제는 아니다. 맥도날드는 '파견받아 활동하는 것'이 '주님과 함께 있는 것'보다 앞서서는 안 된다는 것을 너무나 잘 알고 있었다. 맥도날드는 면담을 청한 여인을 즉시 만나주는 대신 무슨 일로 급히 만나려고 하는지 그 이유를 물어보았다. 그러자 여자는 "결혼생활이 파탄 지경에 이르렀어요." 하고 대답했다. "그렇게 느끼신 지가 얼마나 되는지요?" 맥도날드가 물었다. "4일 전부터 예요." 맥도날드는 또다시 물었다. "언제부터 부부간에 어려움이 시작되었습니까?" 여인이 대답하였다. "한 5년 됩니다.", "부부 사이의 어려움이 이미 5년 전부터 시작되었다면 지금 당장 저를 만나야 할 이유가 무엇인가요?" 여인이 대답했다. "하도 마음이 답답하고, 마침 시간도 있고 해서 상담을 받고 나면 한결 마음이 가벼워질 것 같아서요."
맥도날드는 인내하면서 이렇게 말하였다.
"부부간의 어려움이 이미 5년 전부터 시작되
었다면 그 동안 그 문제에 대해 많이 생각해
보셨겠지요. 그리고 지금 당장 해결하지 않
으면 큰일날 문제도 아닌 것 같구요. 죄송합
니다만 지금 저는 주일 강론을 세 개나 준비
해야 되기 때문에 온 신경이 그 쪽에 쏠려
있어서 부인을 만난다고 해도 제대로 도와드
릴 수가 없을 것 같습니다. 괜찮으시다면 월
요일에 다시 전화해 주시겠습니까? 그러면
마음에 여유를 갖고 만나 도와드릴 수 있을
것 같군요."

나웬(Henry Nouwen)에 따르면 먼저 주님과
함께 있고, 주님으로부터 파견받아 활동하기
위해서는 '비즉응성(非卽應性, unavailability)'
이 필요하다.[21] 비즉응성이란 사도직 요구(복

---

21. 헨리 나웬, 「생활한 상기자로서의 사목자」(왜관 : 분
　　도출판사, 1985), 62.

음 전파와 봉사활동)가 들어왔을 때 즉각적
으로 응답하지 않는 것이다. 나웬은, 사도적
활동이 아무리 하느님 나라 건설에 관련된
것이라 해도 즉시 응답할 필요가 없다고 주
장한다. 대신 그 요구를 주님 앞에 갖고 가
아뢰어야 한다. 만약 무슨 부탁이든 그때 그
때 즉각적으로 응답한다면 하느님의 일을 내
일로 만들어 버리고, 그렇게 되면 더이상 주
님으로부터 파견받은 자가 되지 못할 것이다.

많은 그리스도인들이 비즉응성을 살아가지
못하고 있다. 그래서 제자직의 두 가지 본
질, 즉 '주님과 함께 있음'과 '주님이 파견
해서 활동하게 함'의 우선순위를 바꾸어 살
고 있다. 나웬은 이 점에 대해 다음과 같이
지적한다.

우리는 누가 우리를 찾으면 즉시 응답하
면서 (우리를 필요로 하는) 그 자리에 대
개 있는 반면, 그 자리에 없는 경우는 드
물다. 사람들과 함께하는 일은 아주 많은

반면, 홀로 있는 일은 아주 적다. 우리가 차지하는 자리가 많으면 많을수록 하느님 과 성령께서 차지할 수 있는 자리는 더욱 더 적어질 것이다.[22]

비즉응성의 원칙을 가장 모범적으로 살아 가신 분은 우리의 주님이시다. 하느님께 파 견받아 이 세상에 오신 예수께서는 자주 조 용한 곳으로 물러나시어 하느님과 함께 있는 시간을 가지셨다. 예수께서는 복음을 전하시 고 병자들을 치유하시면서 그때 그때 응답해 야 할 요구도 많았지만, 자주 외딴 곳으로 물러가시어 하느님 아버지와 함께하면서 아 버지의 뜻을 찾았다. 그러니 주님께서 우리 에게 요구하신 제자직 본질의 두 가지는 주 님 자신의 삶에서 온다. 하느님 아버지로부 터 파견되신 예수께서는 먼저 하느님 아버지

22. 헨리 나웬, 위의 책, 61.

와 함께 있기 위하여 비즉응성을 사셨다. 그
러니 우리도 주님과 함께 있기 위하여 비즉
응성을 살아야 한다.

비즉응성을 살아가는 것은 다음 두 가지
점에서 아주 중요하다. 첫째, 만약 비즉응성
을 살아가지 않는다면 우리는 파견받은 사람
이 아니라 자칭 파견된 사람이 되어 살아갈
것이다. 둘째, 비즉응성을 살아가지 않는다
면 우리의 내적 상태는 무질서함과 피곤으로
가득차게 될 것이다. 사도직 수행에 필요한
힘과 권위는 주님으로부터 오는 것인데, 주
님과 함께 고독 속에 머물며 그러한 힘과 권
위를 받지 못한다면 어떻게 우리의 소명을
완수할 수 있겠는가.

4
파견받은 자가 되기 위한 비즈웅성

    자신에게 맡겨진 임무, 꼭 해야만 하는 임무를 소홀히 하지 않는 사람은 진정 주님으로부터 파견받은 사람이다. 이러한 사람은 먼저 주님 앞에서 기도하면서, 부탁받은 일이 진정으로 주님께서 원하시는 일인지 아닌지를 분별한다. 그는 주님의 뜻이 기도 안에서 드러난다는 것을 알고 있다. 이런 맥락에서 비즈웅성은 우리를 하느님 뜻에 따라 파견받는 자로 만들어 준다.

    헨리 나웬은 비즈웅성을 살아가지 못하고 정신없이 복음 전파와 봉사활동에 몰두하는 그리스도인을 가리켜 '구원 도착증(倒錯症)에

걸린 사람'이라고 평한다.[23] 구세주 콤플렉스
(savior complex)에 걸린 사람이라 불러도 무
방할 것이다. 이러한 병(?)에 걸린 사람은
모임이란 모임에는 다 나가 한 말씀 하고,
자기를 필요로 하면 즉시 뛰어간다. 아무리
몸이 피곤하더라도, 아무리 정신이 지쳐 있
다 하더라도 그렇다. 언뜻 보면 그는 파견받
은 자로서의 본분을 다하는 것 같지만 실제
로는 '구원 도착증'이란 병을 앓고 있는지도
모른다. 세상을 구원하기 위해서 오신 예수
님조차도 당신 생애 동안 온 세상을 다 개종
시켜야 한다는 강박감을 갖고서 모든 자리,
모든 모임에 참석하지는 않으셨다. 그분은
팔레스티나에서만 활동하시었다. 온 세상의
구원은 성령께서 제자들을 이끌고 이루시도
록 남겨놓으셨다. 그런데 구원 도착증에 걸
린 사람은 모든 구원사업을 자신이 하지 않

23. 헨리 나웬, 「사목 심리 단상 : 친교」(서울 : 가톨릭출
판사, 1994), 125.

으면 안 되기나 하듯이 뛰어다닌다.

구원 도착증에 걸린 사람은 신부, 수녀 등 일선 사목자뿐 아니라 종종 열심한 평신도들에게서도 발견된다. 구원 도착증에 걸린 사람들은 순수한 봉사 정신으로 살아가지 못한다. 주님과 함께하는 시간을 갖지 않고 정신없이 뛰어다니기에 복음이 분주함 속에 숨막혀 죽어버리고, 남은 것은 사업가 정신뿐인 경우가 많다. 예수께 대한 사랑과 이웃에 대한 사랑으로 활동하기보다는 일 중심, 이해 중심으로 활동하게 된다.

주님께서 우리를 제자로 불러주신 첫째 이유는 주님과 함께 있기 위해서이다. 그런데 이러한 직분을 소홀히 하고 사도직 요구에 즉시 즉시 응답하면서 살아가는 이들은 더이상 '파견된 자'가 아니라 '자칭 파견된 자'라고 할 수 있다. '자칭 파견된 자'는 주님의 뜻과는 상관없이 스스로가 삶의 주체자가 되어서 앞을 향해 달려간다. '자칭 파견된 자'는 주님의 뜻보다는 자신의 뜻과 영광을

찾아서 행위하기에 질서 잡힌 내적 세계를
갖지 못한다. 그의 내적 세계는 육정과 애착
으로 무질서할 뿐이다.

파견받은 사람으로서 내적 질서 속에 살아
가는지, 자칭 파견된 사람으로 무질서한 내
적 질서 속에서 살아가는지 어떻게 알 수 있
는가? 고든 맥도날드는, 그가 갖고 있는 확
신을 통해서 알 수 있다고 말한다.[24] '자칭

---

24. 고든 맥도날드는 그리스도인을 '불림받은 자'와 '쫓
  겨 다니는 자'로 분류하고 있다. 이러한 분류는 '파
  견된 자'와 '자칭 파견된 자' 구분과 대동소이하다.
  맥도날드(위의 책, 38-43)는 또 자칭 파견된 사람
  이 보이는 내적 무질서함의 증상들을 다음과 같이
  말한다. (1) 오직 성취만을 목적으로 삼는다. 항시
  두세 가지 일을 동시에 하고 있다. 멍청하게 있는
  시간을 용납하지 않으며 항시 책을 읽거나 연구를
  한다. (2) 자신의 평판에 무척 신경을 쓴다. 자신이
  하고 있는 일을 다른 이들이 알아주어야 하고, 자기
  분야의 전문가나 권위자와 연결을 가지려고 한다.
  (3) 절제 없는 팽창욕에 사로잡혀 있기에, 자기가
  이룩해 놓은 성취를 기뻐할 시간도 없다. 더 능률적
  인 방법, 더 좋은 결과, 더 깊은 영적 체험들을 갈
  망하면서 긴장과 조바심 가운데 살아간다. 더 많은

파견된 사람'은 무엇인가를 할 때 확신을 갖고 그 일을 하고 있다고 하지만 예기치 않은 일이 생기면 쉽게 낙담하고 무너진다. 사도직을 수행하는 힘이 하느님 능력이 아니라 자기 능력에서 오기에 어려움이 생기면 극복할 힘이 없는 것이다. 한편 파견된 사람은 그를 파견하신 주님의 힘으로 일하기에 외부에서 오는 어떠한 타격에도 굴하지 않는 인내와 용기를 갖는다.

파견된 사람은 물러날 때 물러날 줄 안다. 하느님으로부터 파견된 사람들은 일을 성취하시는 분은 하느님이며, 그 하느님은 내가 없이도 얼마든지 일을 하실 수 있고, 그분이

자료를 수집해야 하고 더 많은 일들을 벌여놓아야 한다. (4) 경쟁적인 경향이 아주 심하다. 반대나 불신에 부딪히게 되면 언제든지 폭발할 수 있는 격렬한 분노를 품는다. 사람들이 자기 의견에 동의하지 않거나 비판을 하면 분노한다. (5) 비정상적으로 바쁘다. 그들은 너무 바빠서 부부관계, 가족관계, 친구관계 같은 일상적인 관계는 물론이고 하느님과의 관계와 자기 자신과의 관계마저 돌볼 겨를이 없다.

나를 제쳐두기로 결정하시면 언제든지 다른
사람, 다른 방법을 써서 일하실 수 있다는
사실을 겸손히 받아들인다. 세례자 요한은
파견된 사람의 태도를 누구보다 잘 보여주는
인물이다. 먼저 그가 한 말을 보자.

사람은 하늘이 주시지 않으면 아무것도
받을 수 없다. 나는 그리스도가 아니라 그
분 앞에 사명을 띠고 온 사람이라고 말하
였는데 너희는 그것을 직접 들은 증인들이
다. 신부를 맞을 사람은 신랑이다. 신랑의
친구도 옆에 서 있다가 신랑의 목소리가
들리면 기쁨에 넘친다. 내 마음도 이런 기
쁨으로 가득차 있다. 그분은 더욱 커지셔
야 하고 나는 작아져야 한다. (요한 3,27-
30)

세례자 요한의 "사람은 하늘이 주시지 않
으면 아무것도 받을 수 없다."라는 말은, 파
견받은 사람이 언제나 자각하고 있어야 할

정신이다. 파견받은 사람은 자신에게 주어진 모든 능력이 하느님으로부터 주어진 것임을 알고 있다. 하느님으로부터 주어진 것이기에 그 능력의 정도에 상관없이 주어진 능력만큼 최선을 다해 일할 뿐이다. 이런 맥락에서 세속적인 재능이나 인간적인 능력, 유창한 언변이나 학위나 지적 능력이나 외모 등은 전혀 중요하지 않다. 파견받은 사람은 주님께서 그에게 허락해 주신 만큼 최선을 다해서 뛸 뿐이다. 어느 누가 뛰어난 능력과 자질을 갖추었다면 그 능력 역시 주님을 위해 크게 봉사하라고 주어진 것이다.

뛰어난 음악적 소양을 갖고 있던 하이든은 파견받은 그리스도인이었다. 그는 매번 작곡할 때마다 하느님께 다음과 같이 기도하였다고 한다. "하느님! 당신이 저에게 지혜를 주시어 제가 아름다운 음악을 작곡할 수 있다면 그것은 오로지 당신의 영광을 드러내는 작품이 되어야 합니다. 저는 제가 만든 음악을 주님의 영광을 위해서 바칠 것입니다."

하이든이 '천지창조'를 작곡하여 발표한 날,
많은 사람들이 일어나서 그를 향해 환호하자
그는 손을 들어 하늘을 가리키면서 이렇게
말하였다. "나는 아무것도 아닙니다. 하느님
이 모든 것입니다. 이 작품은 하늘로부터 온
것입니다. 주님께서 나에게 지혜를 주셨습니
다. 그러니 주님께 영광을 돌립시다."[25] 주님
으로부터 불림받아 파견된 사람은 자신에게
맡겨진 소임에 최선을 다할 뿐 그 무엇도 소
유하려 하지 않는다. 대중의 인기를 소유하
려 하지 않는다.

우리의 봉사활동은 인정을 얻으면 얻을수
록 더 바빠지게 된다. 유명 인사가 되면서
대중의 압력에 노출되어 정신이 없을 정도로
여기저기서 초대를 받기 때문이다. 이때 주
님과 함께 있는 시간, 즉 비즉응성을 갖지
못하고 자칭 파견된 자가 되어서 부르는 데

---

25. 생명의 삶 편집, 「향기 있는 사람」(서울 : 도서출판
    두란노, 1994), 78.

마다 달려간다면 그의 봉사는 충분한 효과를 내지 못할 것이다. 아무리 산해진미라도 매일같이 먹으면 식상(食傷)하기 마련이듯이, 아무리 훌륭한 봉사자라 하더라도 매일같이 보게 되면 식상하기 마련이다. 비즉응성 없이 외부에서 요구하는 대로 다 응답하는 자의 봉사는 더이상 신선한 감동과 힘을 지니지 못한다. 신클레티카 성녀는 말한다. "드러난 보화가 얼른 쓰여 없어지듯이 덕행은 유명해지거나 잘 알려지면 쉽사리 사라져 버린다. 밀초가 불에 빨리 녹아버리듯이 영혼도 칭찬을 들으면 텅 비게 되고 견고한 덕을 잃게 된다."

그 누가 복음을 전하든 새로운 진리는 하나도 없다. 누구든 이미 있는 진리를 전할 뿐이다. 그런데도 어떤 사람의 말씀을 듣고 많은 이들이 위로를 받았다면 그것은 말씀을 전하는 자가 주님 사랑 안에 머물러 있으면서 주님으로부터 힘을 받았기 때문이다. 첫 성령 강림날에 베드로의 설교로 한 번에 3,000명

의 회개자가 나왔는데, 그것은 베드로의 설
교가 훌륭해서라기보다 그가 오십 일 동안
기도하는 가운데 성령의 힘으로 충만되었기
때문이다. 그러니 우리 그리스도인들은 다른
사람들이 원하는 대로 살아갈 것인지, 아니
면 주님께서 원하는 대로 살아갈 것인지 결
정해야 한다. 골방에서 주님과 함께하면서
강론 준비에 집중하는 일과 영웅으로 떠받들
어 주는 대중 앞에 서 있는 일이 서로 갈등
을 일으키며 대립할 때 무엇에 응답하는가에
따라서 그가 파견된 자인지, 아니면 자청 파
견된 자인지를 알 수 있다.

청천백일과 같이 빛나는 절의는
어두운 방구석에서 길러낸 것이요,
천지의 뛰어난 경륜을 깨달음은
살얼음을 밟듯 신중히 마련된 것이거늘.

사람들은 나에게 '떠오르는 인물'이란다.
이른바 대중적 인물, 유명 인물이 되어간다

는 말이겠다. 이러한 말을 들을 때마다 나는
이런 자문자답을 한다.

내 삶, 나에게 펼쳐지는 이 삶이 하느님
께로부터 오는 선물이라는 사실을 잊고 있
다면, 아니 그것이 내 자신의 뛰어난 재질
인 양 생각한다면, 내 삶은 무슨 의미가
있겠는가? 이렇게 열심히 공부하고, 최선
을 다해 강론 준비하고, 정성을 다해 피정
준비를 하면서 수고하는 이 삶이 무슨 의
미가 있겠는가? 내 자신이 하느님의 선물
임을 잊는다면, 내 삶이 하느님에 대한 사
랑, 영혼에 대한 사랑을 바탕으로 하지 않
는다면 내가 하는 공부들, 내가 하는 강론
들, 내가 하는 봉사 행위들이 결국은 내
자신의 만족과 성취를 위한 것에 불과하
고, 관계된 사람들을 이용하는 것이 될 뿐
이다.

이냐시오 성인께서는 우리의 모든 것을 하

느님과 관련시켜야 하고, 우리에게 좋은 것
이 있다면 그 모두는 하느님의 것임을 인정
하고. 그것에 대해 감사드리면서 하느님께
바치도록 해야 한다고 가르친다. 나는 사부
(師父) 이냐시오 성인의 봉헌기도가 나 자신
의 기도가 되도록 훈련받아 왔다. "주여, 나
를 받으소서. 나의 모든 자유와 나의 기억력
과 지력과 모든 의지와 내게 있는 것과 내가
소유한 모든 것을 받아들이소서. 당신이 내
게 이 모든 것을 주셨나이다. 주여, 이 모든
것을 당신께 도로 드리나이다. 모든 것이 다
당신 것이오니 온전히 당신 의향대로 그것들
을 처리하소서. 내게는 당신의 사랑과 은총
을 주소서. 이것이 내게 족하나이다."

어느 누구도 그리스도와 자기 자신을 동시
에 증거할 수는 없다. 어느 누구도 자신이
잘났다는 것과 그리스도가 주님이라는 것을
동시에 말할 수 없다. 우리가 그리스도인으
로서 파견받은 삶을 살고 있다는 사실을 잊
어버린다면 우리가 가진 능력이나 자질을 우

리 것인 양 생각할 것이다. 그리고 우리가
한 일들을 우리 수고의 덕분으로 간주할 것
이다. 바오로 사도는 이렇게 말한다. "여러
분이 가지고 있는 것은 모두 하느님께로부터
받은 것이 아닙니까? 이렇게 다 받은 것인데
왜 받은 것이 아니고 자기 것인 양 자랑합니
까?"(1고린 4,7)

파견받은 사람은 자신의 수고가 아무리 크
다고 해도 그 수고에 대한 대가를 기대하지
않는다. 기대하는 것이 있다면 자기의 수고
가 언제나 주님의 뜻에 따라 이루어지고 있
는지 판별할 줄 아는 능력뿐이다. "힘써 일
하되 당신의 뜻을 행하고 있음을 아는 보수
외에는 아무것도 바라지 않는다."[26] 그는 또
봉사활동의 결과로 주어지는 찬사가 자신이
아니라 주님께 드려져야 된다는 사실을 잘
알고 있다. 마치 세례자 요한이 사람들의 시

---

26. 이것은 필자의 사부 성 이냐시오의 청원기도 내용이
다.

선을 들러리인 자신이 아니라 신랑이신 예수
께 두게 하였듯이. "신부를 얻는 이는 신랑
입니다. 그러나 신랑의 친구도 서 있다가 신
랑의 목소리를 들으면 그 소리로 말미암아
크게 기뻐합니다."

　세례자 요한은 자신의 파견 소명이 무엇인
지를 분명히 알았던 사람이다. 자신은 메시
아가 아니라 메시아가 오실 것을 준비하는
자요, 신랑이 아니라 신랑의 친구로서 파견
된 자임을 알고 있었다. 그는 신랑과 그 들
러리 사이에서 누가 사람들의 시선을 받아야
하는지 분명히 알고 있었다. 세례자 요한의
말, "그분은 커져야 하고 나는 작아져야 합
니다."에서 우리는 파견받은 자의 자유로움
을 본다. 군중의 시선이 자기를 떠나 예수님
께로 향하는 것을 보면서 세례자 요한은 실
패감에 사로잡힌 것이 아니라 기쁨에 넘친
다. 만약 그가 자칭 파견된 사람이었다면 시
기와 질투, 쓸쓸함과 초라함, 그리고 상실감
과 우울감에 빠졌을 것이다. 인간이 갖고 있

는 본능적 욕구 중 하나는 모든 이들이 나만
을 쳐다보는 것이다. 중심 인물이 되는 것이
다. 세례자 요한은 자신이 파견된 사람임을
분명히 깨달았기에 이러한 인간의 본능적 욕
구를 따라가지 않았다. 그는 자기 소명이 무
엇인지를 온전히 자각하고 있었으며, 유한한
인간임을 알고 있었다. <u>유한한 인간 존재는</u>
<u>떠나야 할 때 떠날 줄 알아야 한다.</u>

　인도에서 선교사로서 일했던 스탠리 존스
(Stanley Jones)는 노년에 신체마비 증세가 생
겨 움직일 수도 말할 수도 없게 되었다. 하
지만 그는 믿음을 잃지 않았다. 그는 "<u>내 믿</u>
<u>음을 지탱시켜 줄 외부 받침대는 필요없다.</u>
<u>내 믿음이 나를 붙들어 주기 때문이다.</u>" 한
번은 어떤 주교가 은퇴하고 나서 더이상 신
자들의 관심을 못 받자 좌절감에 빠지게 되
었다. 그러자 스탠리는 그 주교에게 영적 삶
에 대한 이러한 도움말을 주었다.

　　나는 주교에게 영적 승리의 비밀은 자기

포기에 있다고 말했다. …그는 예수께 자신을 내어놓는 사람이라기보다는 각광받는 것을 즐기는 사람이었던 것이 분명하다. 다행스럽게도 나에게는 예수께 내 자신을 내어놓는 것이 최우선의 것이었으므로 이 마비 증세로 인하여 외부의 줄이 끊어졌을 때에도 내 삶은 흔들리지 않았던 것이다.[27]

27. 재인용, 고든 맥도날드, 위의 책, 160-161.

5
영적 힘의 재충전을 위한 비즉응성

제자직의 첫번째 본질, 주님과 함께하는 시간이 결여된 채 계속해서 제자직의 두 번째 본질 곧 봉사활동에만 바쁘다면 우리 영적 상태는 머지않아 황폐한 뜰처럼 될 것이다. 모든 인간 삶이 다 그렇듯이 자기를 돌보지 않고 쉬지 않고 뛰어다닐 때 오는 결과는 무엇인가? 육신의 피곤은 물론 내적 무질서·영적 공허감·좌절감·원망·상처·열정의 상실 등이다.[28] 하느님께서는 가시덤불과

_____

28. 나웬은 구원 도착증에 걸린다는 것이 무엇인지 알려

잡초가 우거진 황폐한 뜰은 거닐지 않으신
다. 인간 존재의 근거이시요, 생명의 원천이
신 하느님이 우리 영혼 안에 계시지 않을 때
우리는 더이상 생명력을 느끼지 못한 채 무
기력하게 살아갈 것이다.

우리가 어떤 단체에서 어떤 활동을 하든
큰 봉사를 하고 난 뒤에는 기쁨보다는 기가
빠지는 것을 체험했을 것이다. 그리스도인으
로서 최선을 다해 뛰었다는 기쁨은 온데간데
없고, 외로움과 공허감에 휩싸여 안으로 숨
고만 싶어진다. 어떤 이들은 모든 것을 다
쏟아 부은 뒤에 밀려오는 공허감을 감당하기
어려워 방황하기도 한다.

언젠가 나는 8일 동안의 영신수련 피정을
중간 쉼 없이 연속으로 두 번 지도하면서 심

주기 위해서, 비측웅성을 살아가지 못하는 새 사제
가 처음 열정적인 삶에서부터 시작하여 나중에 무기
력한 상태에 빠지는 과정을 설명하고 있다. 위의
책, 124 - 131 참조.

각한 영적 침체와 몸의 이상을 느낀 적이 있었다. 첫번째 영신수련이 끝나고 두 번째 영신수련이 중간 정도 지났을 때쯤 뼈 마디마디가 녹는 것 같았고, 가슴이 뛰고 손까지 떨렸다. 당시의 느낌은 말로 표현하기가 어렵지만 굳이 표현하자면 왠지 불안하고 슬프고 도망가고만 싶은 심정이었다. 단순히 피곤하다기보다 정체 불명의 공허함이 너무나 커서 다시는 영신수련 지도를 하고 싶지 않을 정도였다. 왜 이런 일이 일어나는 것일까? 진이 빠졌기 때문이다. 진이 빠졌다는 것은 사도직을 수행할 수 있는 영적 힘이 내게 있는 것이 아니라 예수님으로부터 오는 것임을 가리킨다.

진이 빠졌을 때는 반드시 쉬면서 몸과 마음을 재충전하도록 해야 한다. 영적 차원에서 산후(産後) 조리가 필요하다고나 할까. 바오로 사도는 갈라디아서에서 사도직 활동에 영적 산고의 고통이 따라옴을 역설한다. "여러분 속에 그리스도가 형성될 때까지 또다시

해산의 고통을 겪어야겠습니다."(갈라 4,19)
만일 사도직을 한 후에 영적 산후 조리를 소
홀히 하고 계속해서 또 다른 사도직에 응답
하고, 또다시 영적 산후 몸조리를 소홀히 하
게 되면, 그 사람은 영적 파탄 상태에 이르
게 될 것이다. 비즉응성은 영적 산후 몸조리
를 하는 시간이다.

그런 경험을 했기 때문에 나는 피정이나
강연이 끝난 후에 가능한 한 빨리 회복 시간
을 가지려고 한다. 예를 들면 강연 후 있는
인사치레용 축하식에는 참석하지 않는다든
가, 주일날 본당에서 활동한 경우에는 월요
일 오전 동안은 전화도 받지 않고 사람도 만
나지 않고 홀로 내적 고독 속에 머물면서 운
동도 하고 기도하는 시간도 갖는다.

영적 힘이 고갈된 사람은 다른 사람들을
대할 때도 편하지가 않다. 많은 이들이 활동
초기에는 순수한 열정으로 일하면서 섬세한
모습, 매력적인 모습을 보이지만 시간이 지
나면서 피곤하고 짜증스런 모습으로 변해간

다. 쉬지 않고 활동은 하지만 툭하면 화를
내고 신경질적인 사람이 되는 것은 물론 '활
동에 지쳐서 살아가는 자'처럼 되어버린다.
봉사활동이 끝나면 즉시 고독의 자리로 돌아
가야 하는 이유는 영적 파탄 상태를 면하기
위해서, 주님과 함께 거닐며 내면의 영적 정
원을 가꾸기 위해서이다. 훌륭한 제자가 되
기 위한 비결은 "꿇은 무릎, 젖은 눈, 깨어
진 마음"이라고 말하는 사람도 있다. 주님과
함께하는 시간을 가져야 무릎을 꿇을 수 있
고, 젖은 눈을 가질 수도 있고, 깨어진 마음
을 온전케 할 수도 있다.

　모든 교회 봉사활동에는 주님과 함께하는
개인적 기도의 자리가 따로 마련되어야 한
다. 기도―활동―기도―활동이란 고리가
지어져야 한다. 기도를 함으로써 봉사활동을
하면서 갖게 된 흐트러진 몸과 마음을 모으
고, 일에 치중하면서 갖게 된 인욕(人慾)이나
갈등의 요소들을 분별하고, 반성하게 된다.
그리고 이 분별을 바탕으로 다시 주님으로부

터 파견받아 세상에 나가 활동하고, 다시 주
님께 돌아와 주님과 함께 성찰·분별하는 시
간을 가져야 한다. 이렇게 하나의 활동이 끝
나고 즉시 또 다른 활동을 하는 것이 아니라
기도를 하여 재충전하는 것이 비즉응성이다.
대나무가 줄기의 중간 중간을 끊어주는 마디
가 있어 똑바로 자랄 수 있듯이, 우리도 이
비즉응성이 있어야 올곧게 자랄 수 있다. 영
적으로 재충전된 그리스도인이 될 수 있는
것이다.

헨리 나웬은 왜 초대교회 구도자들이 반복
되는 사도적 활동의 고리를 끊어버리고 고독
의 세계로 물러났는지를 이렇게 설명한다.

자신이 난파된 (인간성이라는) 배를 타
고 표류하는 한 다른 사람들에게 어떤 도
움도 줄 수 없음을 그들은 잘 알고 있었
다. 그러나 일단 견고한 땅에 발판을 마련
하면서 사정은 달라졌다. 즉 그들은 온 세
상 사람들을 안전한 곳으로 인도할 능력을

얻게 되었을 뿐만 아니라 그러한 의무감으로 충전되기까지 했던 것이다.[29]

우리나라 절은 어느 절이든 명산 명당을 차지하고 있기에 불교 신도들은 물론 행락 인파로 붐빈다. 다음은 천주교 신자이며 작가인 최인호씨가 바라다본 절간의 모습이다.[30] 절은 찾아오는 이가 불교 신도이든 아니든 상관없이 누구나 받아들인다. "보고 싶으면 마음대로 보시오." 하듯이. 절 입구도 활짝 열어놓고, 대웅전도 활짝 열어놓는다. 하지만 여간해서 스님들은 눈에 띄지 않는다. 보이는 것이라곤 법당 안의 자애로운 미소를 짓고 있는 부처님 상과 절 마당에 은은하게 피어 있는 꽃들뿐이다. 스님들은 그 넓은 절 어디에서도 보이지 않는다. 내적 수줍

---

29. Henry, J. M. Nouwen, *The Way of the Heart* (New York : Seabury, 1981), 39.
30. 이 글은 본시 최인호씨가 「샘터」에 '가족'이란 제목으로 쓴 글의 한 부분이다.

음, 영적 수줍음이 은은히 스며 있는 절 분위기에 놀러 온 사람들조차 종교성을 느끼면서 대웅전에 들어가 부처님 앞에 절하게 된다. 만약 스님들이 불법을 전한다고 절에 온 사람마다 붙잡고 설득을 한다면 부처님 앞에서 절할 마음을 갖기보다는 스님 말이나 듣고 절밥이나 얻어먹고 가야겠다고 생각할지 모른다. 하지만 스님들이 보이지 않는 고요한 절 분위기에 젖어 자신도 모르게 마음이 고양되어 부처님 앞에 절하게 될 것이다. 이것을 비즉응성의 원리라고 본다면 지나친 연결일까?

서울 한복판에 있는 명동 성당은 바쁜 삶을 살아가는 사람들의 안식처 역할을 하고 있다. 수많은 인파가 밀려오고 밀려가는 시간에 명동 거리를 지나 성당 안으로 들어가면 성스러움이 어려 있는 고요함, 침묵의 빈 공간, 영적인 쉼과 회복의 자리 그리고 주님을 조배하기 위하여 무릎 꿇고 있는 사람들을 만나게 된다. 헨리 나웬은 로마의 바티칸

성당의 모습을 다음과 같이 묘사하고 있다.

로마 시내를 내려다보고, 거리를 걸으면서, 또는 버스를 타면서 그대는 즉시 로마가 집들, 사람들, 자동차들, 하다못해 고양이들까지 포함해서 북적대는 도시임을 알게 될 것이다. 그대는 수많은 사람들이 사방에서 왔다갔다하고, 다양한 소리들이 뒤섞인 가운데 들려오는 즐거움의 소리 또는 성난 목소리를 들을 것이다. …로마는 생활 자체가 거칠고, 시끄러우며, 격렬함을 드러내는 바쁘고 혼잡스런 도시이다.

꽉 들어찬 집들과 사람들, 자동차가 북적거리는 도심 한가운데에 바티칸이 자리잡고 있다. …그곳은 유용하거나 실제적인 곳이 아니며, 즉각적인 행동이나 빠른 응답을 요구하는 곳도 아니다. 그곳은 조용하고, 대부분의 시간이 이상하리만큼 비어 있는 곳이다.

바티칸은 그곳을 둘러싸고 있는 세상과

는 분리된 다른 언어를 사용하고 있다. 그
곳은 박물관으로 있기보다는 그대를 고요
한 자리로 이끌고, 무릎을 꿇어 귀를 기울
이게 하고, 그대의 육신을 쉬라고 그대를
초대하고 있다.[31]

31. Henry Nouwen, *Clowning in Rome* (New York : Doubleday, 1981), 37 – 38.

그리스도교와 신자 됨의 본질이 무엇인지 깨닫는 것은 열매 맺는 신앙생활을 하기 위해서 무척 중요하다. 그것은 첫 단추에 해당된다. 현재 우리나라는 천주교, 개신교를 합친 그리스도교 신자 숫자가 전체 인구의 40%를 차지한다. 10명 중 4명이 예수님을 구세주로 고백하고 있다는 소리다. 하지만 실제로 열심한 신앙생활을 하는 숫자는 전체 인구의 20%도 안 될 것이다. 교회마다 냉담자들이 얼마나 많은가! 등록된 신자 중 반 이상이 교회에 나오지 않는다고 한다. 또 정기적으로 교회에 나오는 신자들이라 해도 은혜로 주어진 신앙의 씨앗을 잘 키워서 세상

의 빛과 소금이 되어 살아가는 이들은 드물
다. 주님과 인격적인 사랑을 나누면서 제자
가 되어 살아가는 이들도 드물다. 잘 먹고
잘 사는 현세적 축복, 이른바 기복 신앙, 무
속 신앙을 살아가는 것이다.

　우리가 믿는 그리스도교의 본질이 무엇인
지 그리고 신자 됨의 본질이 무엇인지 분명
히 파악하는 것은 알찬 신앙생활을 하기 위
해서 무엇보다 중요하다. 그리스도교는 가슴
뜨겁게 주님을 만나는 인격적 사랑의 종교
요, 신자가 된다는 것은 사랑으로 불러주신
주님과 함께 있으면서 주님으로부터 파견을
받아 세상으로 나아가는 제자가 된다는 것이
다. 주님을 깊이 알고, 열렬히 사랑하고, 충
실히 따를 수 있게 해 달라고 기도해야 할
것이다. 이것이 우리가 평생토록 안고 가야
할 유일한 근심, 곧 종신지우(終身之憂)이다.
이 종신지우와 함께 우리는 얼굴과 얼굴을
맞대고 주님을 뵙기까지 주님과의 인격적 만
남을 계속해 나가야 할 것이다.

우리 스승이 되신 그분의 바람은
단순합니다.
그분을 닮는 것입니다.
그분의 눈길을 닮고
그분의 기운을 닮고
그분의 마음을 닮고
그분의 발걸음을 닮는 것입니다.
그분의 길은 바로 우리의 길입니다.
스승의 길은 바로 제자의 길입니다.

● 지은이

예수회 신부. 로마 성서 대학원에서 교수 자격증(S.S.L.) 취득. The Catholic University of America에서 신약 주석학으로 박사 학위(Ph.D.) 취득. 현재 서강대학교 수도자 대학원에서 신약 과목 강의.

성서와 인간 6

본질을 사는 인간

1999년 4월 20일 1판 1쇄 인쇄
1999년 6월 15일 1판 2쇄 발행

지은이 / 송봉모
펴낸이 / 정문자
펴낸곳 / 바오로딸

142 · 704 서울 강북구 미아 9동 103
등록 / 제7 · 122호 1994. 3. 30.
전화 / 984 · 1611 팩스 / 984 · 3612
대체 / 012237 · 31 · 0525642
지로 / 7520101

취급처 / 중앙보급소
전화 / 984 · 3611 팩스 / 984 · 3612
© 송봉모 · 1998 FSP 724

값 3,500원

email : edit @ pauline.or.kr
http : //www.pauline.or.kr
통신판매 : 981 · 1611
ISBN 89 · 331 · 0475 · 8